En longues rivières cachées

POÉSIE

*De cet ouvrage, il a été tiré cent exemplaires
numérotés et signés par l'auteure.*

N°_____   _____

Annick Perrot-Bishop

En longues rivières cachées

POÉSIE

Les Éditions
David

Les Éditions David remercient le Conseil des Arts du Canada, le Secteur franco-ontarien du Conseil des arts de l'Ontario et la Ville d'Ottawa. Aussi, nous reconnaissons l'aide financière du gouvernement du Canada par l'entremise du Programme d'aide au développement de l'industrie de l'édition (PADIÉ) pour nos activités d'édition.

Les Éditions David remercient Prospects Plus et le Cabinet juridique Emond Harnden.

Catalogage avant publication (Canada)

Perrot-Bishop, Annick, 1945-
    En longues rivières cachées : poésie / Annick Perrot-Bishop.

(Voix intérieures)
ISBN 2-89597-043-2

    I. Titre. II. Collection : Voix intérieures (Ottawa, Ont.)

PS8581.E74745E6 2005   C841'.54   C2005-904917-0

Révision : Frèdelin Leroux
Maquette de la couverture, typographie et montage :
Anne-Marie Berthiaume graphiste

Les Éditions David   Téléphone : (613) 830-3336
1678, rue Sansonnet   Télécopieur : (613) 830-2819
Ottawa (Ontario) K1C 5Y7   ed.david@sympatico.ca
Site internet : www3.sympatico.ca/ed.david/

Le Conseil des Arts | The Canada Council   ONTARIO ARTS COUNCIL
du Canada | for the Arts   CONSEIL DES ARTS DE L'ONTARIO   Ottawa

À ma cousine, Claudine Jégou

L'envers du cœur

Pensées d'eau. Lacs profonds, habités de créatures lentes. Douceur inhumaine. Pensées pourpres. Ramures de sang qui s'enfantent dans la nuit. En orages muets.

Limon tiède, mon corps s'enfonce. Se mêle de vase. Verdâtre douceur. Arbres broyés, blessures intimes. Dans la dérive des paupières closes, lent rire muet. Du cauchemar qui me guette.

Comme un bruit d'eau, une palpitation. Un clapotis qui s'infiltre dans la brèche naissante. Puis, l'incarnat éperdu des voix qui aiguisent leurs couteaux de lumière. Tranchent la mollesse de l'oubli. Crissent au tournant des yeux, oiseaux nus qui s'enlarment.

La mer m'a éventrée. Corps brisé, cheveux hagards. Lame amère. Vain refuge d'algues contre le fracas des os. Carcasse friable. Débris, miettes, poudre. Bouleversée de sang et d'eau. Et doucement prend forme : fantôme de craie. Continent de langueurs et de failles secrètes.

Du cœur, s'ébruitent des fragments de ciel. Assourdis par l'ombre des pensées. Tristesses qui s'amarrent aux ventres lisses des noyées. Comme un doux désir de m'assoupir. Dans le noir précipice des voix.

Dans l'épaisseur de l'eau, la lente lueur des yeux. Frôlements d'écailles, lèvres curieuses marbrées de sel. Multiples langues sur mes seins, mon ventre, mes cuisses. Sur mes jambes, blanches nageoires nues. Je me glisse dans l'haleine bleue des bêtes. Ma bouche téteuse de rêves flous.

Dormeur des heures profondes, un personnage s'éveille. S'agace de pensées. De paroles fragiles qui se brisent contre des murs de mots. S'éparpillent dans la rumeur sanguine.

L'envers du cœur. Sa face voilée. Qui se déchire dans la déroute du jour. Noirceur gélatineuse, moisissure affolée. De ma joie rouge, l'envers. Qui se dévoile à contrecœur.

J'ai remué le ciel, et le ciel a chaviré. Spirales creusées de chair rouge. Nuées flottantes, dévoreuses de clarté. J'ai remué la terre, et les eaux se sont déversées. Échevelés, les arbres se bousculent, s'entrechoquent. Troncs brisés, craquements à fleur de roc inerte. Termitières renversées d'où s'échappe une multitude grouillante. Sans un cri, mes yeux se tendent. Vers la lumière engloutie.

Mon corps peuplé de sangs. De bouches aux cris multiples. D'âmes chavirées et de sève pourpre. Nervures incandescentes, berceaux de fureurs et d'enfants. Qui feront vibrer ma lente stature d'ombre.

Le sommeil de la terre m'est coquille.
Contre les cris du vent. L'haleine froide des pierres.
Dans ma chair, enfoui, l'arbre de la nuit. Glissements
de racines vers une aube inconnue.

Je voudrais clore la faille où bat la déchirure. Me couler au fond d'un nuage. Nuit claire et douce. Corps blotti dans l'antre du songe. Un à un, reprendre les fils. Les tisser en pans de couleur fauve. Animal qui s'étire, ouvre un œil dans la fraîcheur de l'aube.

Ma joie se mêle aux senteurs pâles. À l'inquiétude creusante. Cratère d'où l'oiseau renaîtra. Son chant vif et bref. Qui repousse la nuit au souffle court. Éveille des vapeurs roses aux franges de sel amer.

Au bord d'un étang songeur, j'invite une forêt d'eaux vertes. Un cri d'oiseau dans l'ombrée chaude des jours. Senteurs habitées. Gluance de sève. Feuillages qui s'enchantent dans la lumière mouillée.

Tes ailes, à voix nue

Tu es venu au monde dans un délire de pluies. Frissons obscurs, halètements. Paisible frayeur. Attente au creux de l'infime où tout existe déjà. Oiseaux, mers entières, se ruent dans ton cœur. T'appartiennent comme le temps. Ce silence en dérive où s'immisce l'angoisse.

Tes ailes, à voix nue. Dans un crèvement d'eaux. Ton souffle ample, prêt à avaler la vie. La mémoire te revient comme une forêt de cris. L'été enflammé d'ambre s'étale sur ta peau. Saison aux désirs fougueux.

Ton corps se défait, se mêle à mon corps. Comme une terre rouge, une mer lisse. Une senteur d'algue et de limon. Derrière nous, la pesanteur des chagrins et des ressentiments. Ta légèreté sera la mienne aux limites de la raison. En moi, tes ailes se glissent, poussées par cent soleils.

Toi, comme une saison. Un champ où je m'allonge en quête de chaleur. Le battement de ton sang m'emporte vers un passé lointain. Un avenir, à la croisée des routes. Cette longue marche ensemble, malgré les cailloux et la boue. À la rencontre de ce qui nous effraie. Présence invisible dans la sépulture de nos pas.

Nos mains, en chuchotis. Rivières de sable. Caresses qui coulent tout au long du jour. Un feu me tisse et ma joie s'allume, mouillée d'attentes. Ton monde creuse ses reflets dans le labyrinthe de ma chair. Et tu t'émerveilles de sa tiédeur profonde.

Je retourne aux racines de ton corps. Dans ces minuscules planètes qui se figent un instant, avant de reprendre leur course folle. Ta chair lactée, criant au sortir de la nuit. Cette naissance prolongée qui fait mal. Te griffe jusqu'à l'âme.

À la frange des cils, un instant volé à l'angoisse. Une rumeur nue qui se mêle aux craquements de la nuit. À la soif lente des ombres. Au loin, un froissement contre le ciel gris. Mon désir de toi se recroqueville. Comme une fin d'été.

Dans mon cœur, une brèche. Comme un abîme d'absence. Vertige où dégringolent mes visages brisés. Ton regard tranchant, crispé de froid. Coupant la rondeur bleue de mes rêves. Tes ailes froissées, comme ton nom. Ta lumière qui s'effrite, loin de mon existence. Au fond de la brume, une voix qui s'éloigne. Comme une marée en fuite.

Ton corps perdu d'avance, cendres éparpillées au vent. Et pourtant, je rêve de saisir tes poignets de sel, tes hanches de sable nu. Tes lèvres gonflées par l'attente. Dans ta chevelure nocturne, une morsure de foin coupé. Comme une promesse déjà déçue. La vie me pousse vers l'impossible. Lourd océan. Qui s'endort à l'infini.

Mon âme se fripe de sommeil, s'engourdit
de siècles. Au fond, un soleil craque, se fissure.
S'épanche. Un murmure de chaleur crève l'ennui.
Une tache d'or s'étale dans l'obscurité sanguine.

Tout se prépare, au creux vivant des choses.
Dans les incertitudes du savoir. Tout se fait, se défait.
Sans hâte. Avec la patience des gestes éternels. Nous
avons tout le temps. De mourir et de naître. De
passer, le regard fier ou l'amertume au corps. Le
temps de nous rappeler. Comment était-ce avant ? Et
après ? Une moue au coin des lèvres, nous oublions
souvent. Mais cet oubli s'interrompt parfois :
l'éclaboussure d'une peau, un éboulis d'odeurs. Et
le cœur s'embrase, les ailes se défroissent. Avec un
léger bruit de feuilles sèches.

Derrière l'immobilité, le monde se recrée. Dans les profondeurs de ton corps, le roulis des étoiles. Points aveuglants qui creusent mon regard. Le font basculer dans un tourbillon de formes. Je saisis l'instant à pleine bouche. Virevolte dans la lumière nue de ta peau.

En gouttes de mémoire

Le vent gardait au fond de son souffle d'invisibles battements d'ailes. Des parfums de mers froissées. Le souvenir des visages qu'il avait griffés de bleu. Des arbres qu'il avait malmenés. Ce vent, né ailleurs, avait traversé des espaces lointains. Collines mauves et crevassées. Rouges déserts frissonnants. Il s'était chargé d'odeurs, de molécules d'eau, de mailles de lumière. D'élans furieux tatoués de froid. De tristesses étrangères qui pénétraient en moi comme des couteaux rouillés.

Une bourrasque m'a ramenée. Dans une effusion de feuilles. Un égarement d'oiseaux. Une frayeur de flocons. À présent, la neige me brûle le cœur. Crève l'ennui du ciel. Oubliés, les multiples exils. Mes rêves s'amarrent ici. Dans une constante création qui bruit au fond de moi.

Dans une mare, une forêt de bouleaux. Mon doigt longe le contour des feuillages, sillon évanescent. Ce monde est le mien, avec ses résonances secrètes. Sa boue où s'ensommeille un noir vertige. Miroir où tremblotent des arbres aux troncs cendrés. Des ciels tracassés d'ombres. Flou des nuées, branches fantômes. Mon regard plonge et se noie. Dans le froissis indolent de l'eau.

Mes pieds nus comme des baisers. Mes mains à l'affût d'une vie. Qui s'éparpille en fragments de ciel. En mouillures de songes. En palpitations de plumes et de cris. En gouttes de mémoire. Comment se rappeler cet avant de la vie? Ce souffle hérissé d'ombres qui a choisi de venir ici?

Mes souvenirs, langues de terre à la dérive. Silence des pierres qui glissent vers la non-mémoire. S'enfoncent, une à une, dans la neige du temps. Blancheur du désir. Froideur des chairs. Cruel sourire du passé.

Une sorte de rêve tinte à mes oreilles.
Avant de s'étaler en un champ bleuté. Un matin
frais s'égare en notes cristallines. Des craquements
révèlent, sous la glace, une présence. Métamorphose
lente d'un être qui s'éveille, étire ses bras chargés
d'eau. Sa faim : une angoisse dans mon regard.

À la pointe des narines, un frisson de mer. Sable grisé de mémoire. Bruine de senteurs qui se coule dans ma bouche. Lèvres ouvertes au souvenir qui creuse sa demeure. Dans l'épaisseur des chairs.

Des villes entières s'abîment dans le vacarme des mots. Paroles imaginaires à l'aube des grands désirs. Brèves caresses dans l'effleurement de l'air. Un soleil abrupt sur ma peau. Une émeute parfumée de fruits. L'espoir qui s'insurge contre les marées.

La pluie, douceur bruissante. De souvenirs frileux. D'arbres habités de vent. D'éclaboussures qui traversent ma vie. Tapie au fond du cœur, ma joie éclate soudain : fracas d'un géranium, ébouriffé de rouge.

En longues rivières cachées

Au milieu des ruines, tes longs cheveux froissés. Visage maigre, sang qui barbouille ton ventre. Tes yeux, couleur d'algues, glissant hors des décombres. Avec des éclats de rêves fichés dans les pupilles : lointains horizons aux amours tendres. Tes hivers, comme de longues nuits blanches. Où s'éveillent des bruits de vent, des paroles de glace. Les fantômes gris des ciels mourants.

Ta jeunesse te bouscule comme un saule qu'on malmène. Pleureur qui croît dans le sel des larmes. Les gifles en rafales. Les déchirements d'eau. Gouttes en folie emportées par le vent. Tu t'ébroues pour te vider de tes tourments. Sauvages éboulis. Vaine agitation contre la tempête des mots.

Au creux de ton ventre, une petite boule noire. Fruit sec et dur comme un poing. La nuit, aux quatre coins de ta tête, elle court. Brûlures de colère, haines tapies, peurs en furie. Et durant le jour, elle étouffe le plaisir de l'instant. Tandis que tu cries ta révolte, contre le sang qu'elle puise dans tes veines.

Tes amants. Leurs longs rires amers. Leurs yeux, éclairs obliques. Qui tiennent à l'écart la tendresse comme une grande eau noyeuse. Cette humide caresse sur leur peau de bois sec. Ce frisson qui fendille leur âme, de peur emmaillotée. Leurs voix fortes soudain. Pour couvrir les battements d'un cœur qui tremble dans la nuit.

Dans ta chair, une brisure de lumière. Mouvement incessant. Vibrations lentes. Clapotis de conscience. Tu restes immobile. Attends que la douleur s'apaise. S'écoule dans ton corps en longues rivières cachées.

Du plus profond des eaux, émergent tes chagrins confondus. Ravinements qui te creusent en long et en large. Lumières et brumes, désirs et rejets. Tu te vides de mots et d'encre. De longues colères grises assoupies dans ta chair. T'enivres de joies, de grands et petits riens. Pour mieux te réinventer, t'amarrer à chaque vague. À chaque visage perdu, étincelant d'eau brève.

Mots, vie ajoutée à ta vie. Criblures d'oiseaux sur ciel blanc. Leur absence et ton corps se vide. S'écroule en peau flétrie. Mots, ossature de ton cœur.

Tes amours imaginaires. Sans mains. Doux frôlements à jamais perdus. Sans bouche. Râle de la peau qui s'éteint, à bout de fièvre. Sans bras, sans chair, sans eaux. Inodores. Avec, au cœur, un frémissement vain des doigts.

La vie t'a emportée comme un bruit sourd. Une volée d'oiseaux. Un œil qui se ferme dans la nuit. J'écoute s'endormir ta voix sous la neige molle. Ton souffle crispé tisonnant ta poitrine. Ta respiration de brouillard qui se colle aux murs. Puis s'apaise le temps. Et ton monde s'éteint. Ruissellement lent au creux des terres fertiles.

La vie, ses visages en mouvance

Je me souviens de ces mondes aux teintes mauves. Aux parfums d'herbes sèches. Ces mondes où elle vivait dans une intimité dormante. Terres premières, grouillant d'insectes et de serpents. Où nous *étions* insectes et serpents. Je me souviens et puis j'oublie. Comme si nous n'existions pas avant. Comme si je ne l'avais jamais rencontrée, aimée ou haïe.

Dans un roulis sauvage, elle envahit mon corps. Se glisse dans le bercement du sang. Le tapage du cœur. Me remplit de sa saveur intime. Molécules insouciantes, souffle qui soulève mon souffle. Se repose un instant, dans l'impatient silence qui précède le cri.

Une bourrasque m'a emportée loin d'elle. Au creux noir des tempêtes. Je reviens comme on revient chez soi. Au centre du monde. Dans ce paradis retrouvé. Dans ma main, ses visages en mouvance. Vertiges qui me déracinent.

Ses mains, dans l'impatience du vent, l'ivresse des eaux. L'apparente immobilité de la pierre. Elle flotte, plonge et s'élance. Et pourtant, je reste aveugle à ses gestes, sourde à son chant. Seul mon cœur la reconnaît, car il lui ressemble.

En elle, la nuit et le jour. Le sable de ma peau, la densité de mes os. J'entre dans sa danse, colle mes mouvements à ses gestes. Mon souffle à son souffle. Ma vie à la sienne.

Elle me parle de sa voix sourde. Et mon cœur se brise en cascades de cris. S'effiloche au cours des siècles. Guerres ou massacres. Famines à peine oubliées. Lumière des arbres l'automne, comme des éclats de sons au milieu de la brume. À travers les branches, j'aperçois ses visages effeuillés : multiples destins de ma vie.

Je m'invente au fil des heures, dans le perpétuel mouvement des choses. En moi, naissent et meurent des univers. Des voix palpitent au rythme de mon sang. Ma vie s'écrit comme un destin. À la vitesse des poussières filantes qui m'habitent.

Je me glisse dans l'intimité d'un galet. Dans sa conscience lente, libre de la peur et du ressentiment. Sans craindre les vagues qui me bousculent. Et je vis dans l'indifférence des marées, en oubliant le temps. Chargée pourtant d'un passé millénaire, que berce le doux vacarme de la mer.

Dans le reflux des vagues, le grondement des siècles. La longue histoire des années d'errance. Des polissages et des multiples séparations. Jusqu'au grain le plus fin. L'écume la plus brillante, évaporée dans l'air. Alors, je tente de m'échapper. Pour rejoindre cette buée sur la vitre qui me raconte d'où je viens.

Note

Les poèmes suivants ont fait l'objet, sous une forme légèrement différente, d'une publication dans *Exit N° 6, 1997* : «Pensées d'eau», «La mer m'a éventrée», «J'ai remué le ciel», «Mots».

Table

LES ÉDITIONS DAVID

COLLECTION **VOIX INTÉRIEURES**
Collection dirigée par Marc Pelletier

ANTOINE, Yves. *La mémoire à fleur de peau*, 2002.

BEAULAC, Guy. *Nord-Sud*, 1999.

BÉRUBÉ, Sophie. *La trombe sacrée*, 2002.

BRUNET, Jacques. *Accords et cris. Jeux de mots*, 1995.

CARDUCCI, Lisa. *Pays inconnu/Paese sconosciuto*, 2002.

CHARLEBOIS, Éric. *Centrifuge. Extrait de narration. Poésie faite de concentré*, 2005.

CHARLEBOIS, Éric. *Péristaltisme. Clystère poétique*, 2004.

CHRISTENSEN, Andrée, et Jacques FLAMAND. *Que l'apocalypse soit!, Chants nouveaux de la Sybille*, 2000.

DORVAL, Jean, et Daniel GAGNÉ. *La Trilogie échiquéenne*, 2004.

DUHAIME, André. *d'hier et de toujours*, 2003.

ESTIGÈNE, Eugène Benito. *Mémoire d'une nuit à genoux*, 2001.

FORGET, Carole. *Elle habite une metropolis*, 2002.

JEAN, Stéphane. *Cortège mémoire*, 2002.

JEAN, Stéphane. *Poisons obscurs*, 2001.

JEAUROND, Gaétan. *Pays en palabres perdus*, 1996.

LACOMBE, Gilles. *Blancs gris et noirceurs*, 1996. Épuisé.

LACOMBE, Gilles. *Le brouillard au-dessus de la douceur*, 1999.

LACOMBE, Gilles. *Les petites heures qui s'avancent en riant*, 1998.

LALONDE, Lucie. *Icônes*, 1999.

LAVALLÉE, Loïse. *Une faim de louve. Cantiques charnels*, 2000.

MAJOR, Jean-Louis. *Antifables*, 2002.

MORIN, Danyelle. *Cante Jondo,* 2003.

MOTARD, Chantal. *Les enfarges du temps,* 2005.

MUIR, Michel. *Les armes convoitées du cœur, Suite poétique,* 1994. Épuisé.

MUIR, Michel. *Carnets intimes — 1993–1994,* 1995. Épuisé.

MUIR, Michel. *L'inépuisable tremblement des vivants,* 2000.

PELLETIER, Louise de gonzague. *Errances poétiques,* 2004.

PERROT-BISHOP, Annick. *En longues rivières cachées,* 2005.

PERROT-BISHOP, Annick. *Femme au profil d'arbre,* 2001.

PIERRE, Claude C. *Débris d'épopée...,* 2004.

RAIMBAULT, Alain. *L'absence au jour,* 2002.

RAIMBAULT, Alain. *Partir comme jamais,* 2005.

THÉRIEN, Michel. *Corps sauvage,* 2000.

THÉRIEN, Michel. *Eaux d'Ève,* 2002.

THÉRIEN, Michel. *Fleuves de mica,* 1998.

THÉRIEN, Michel A. *L'aridité des fleuves,* 2004.

VOLDENG, Évelyne. *Brocéliande à cœur de neige* suivi de *Mon herbier sauvage,* 2002.

Achevé d'imprimer
en août 2005
sur les presses de Marquis Imprimeur
Cap-Saint-Ignace (Québec) CANADA